À Ems, Maman et Papa, et Adèle

Édition originale: MMIV by Little Tiger Press,
an imprint of Magi Publications, London.

Imprimé en Belgique.
ISBN 90 374 5660 X
D-MMIV-4969-234

newton

Quel désordre !

Rory Tyger

Le Ballon

PLOC-FLOC ! PLOC-FLOC !

Il pleuvait.

« Regarde, Crocou ! » dit Newton. « Il y a plein de flaques dans lesquelles on peut sauter ! C'est génial ! On va pouvoir jouer à splich-splach. J'enfile mon ciré et mes bottes, puis on y va. »

Newton trouva son ciré et son parapluie sur le portemanteau. Puis il trouva...

… une botte en caoutchouc.
« C'est curieux, Crocou », dit-il.
« J'étais certain de porter deux bottes la dernière fois que nous avons joué à splich-splach.
Où peut bien être l'autre ? »

Newton chercha sa botte
dans toute la maison.
Il regarda dans
le coffre à jouets.

Il regarda sous le lit.
Et même dans son lit !
Mais elle ne se trouvait nulle part.

« Je sais ! » lança Newton.
« Elle doit être dans
le placard sous
l'escalier. »

Newton entrebâilla la porte
du placard et jeta un regard à
l'intérieur. Il y faisait noir. Il ne vit
qu'un amas d'objets.

« N'aie pas peur, Crocou », dit-il.
« Je vais allumer la lumière. »

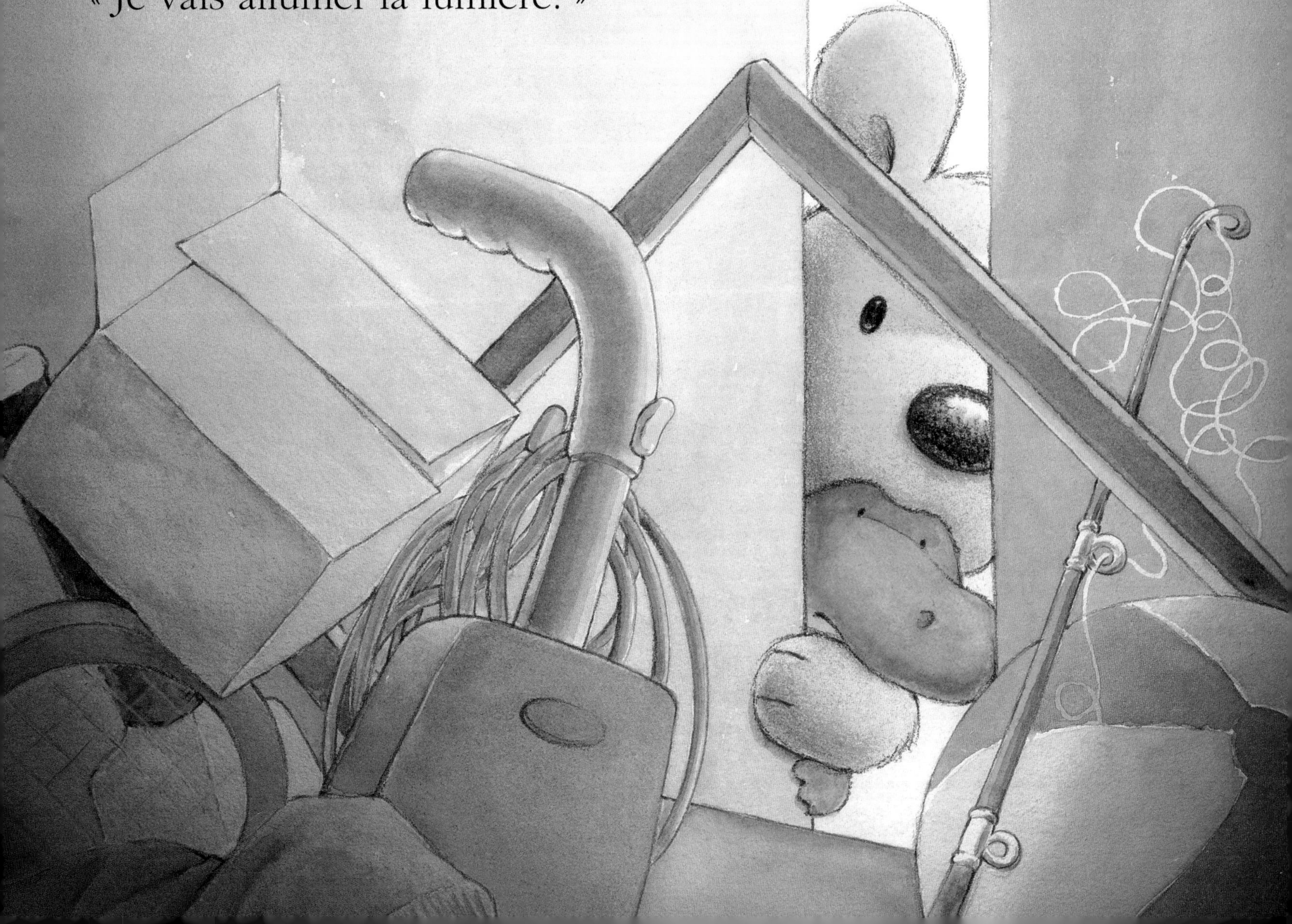

Newton ouvrit
la porte et soupira.
« Oh non ! » dit-il.
« Viens, Crocou, je
vais avoir besoin de
ton aide ! »

Newton se fraya un chemin
dans le fouillis pour tenter de
retrouver sa botte.

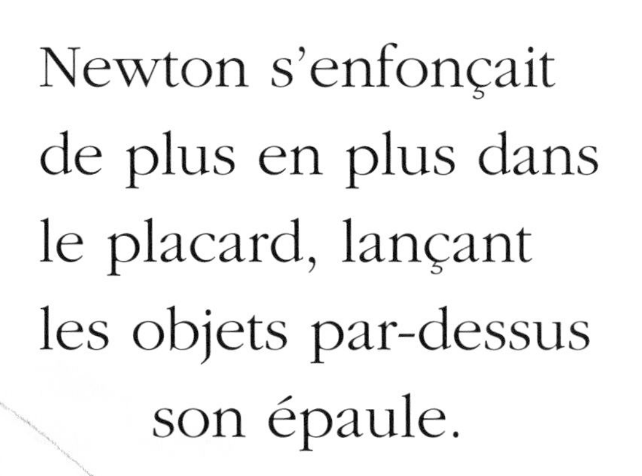

Newton s'enfonçait
de plus en plus dans
le placard, lançant
les objets par-dessus
son épaule.

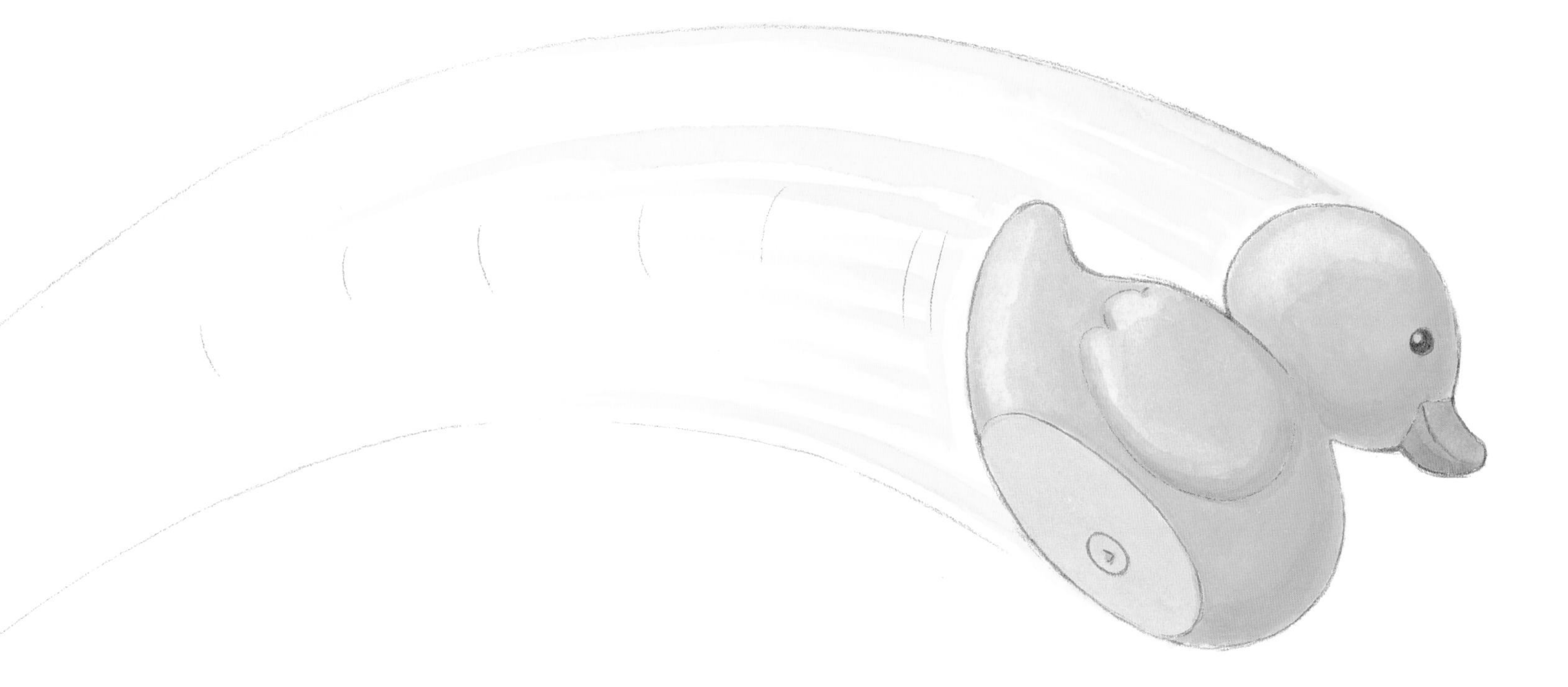

« Une batte ! » PAF ! BOUM !

« Oooooh ! Pouah ! Une chaussette
qui sent mauvais ! » PAF ! SPLAF !
« Désolé, Crocou ! »

« Un canard en plastique ! » PAF ! POUF ! SPLAF !

Newton s'arrêta. Il venait de trouver un beau chapeau de pluie rouge tout brillant.

« Je pensais l'avoir perdu ! » dit-t-il.

Enfin, tout au fond du placard,
Newton dénicha la deuxième botte.
« Hourra ! Je savais qu'elle était là ! »
s'écria-t-il. « Allons vite jouer
dans les flaques avant qu'il
cesse de
pleuvoir ! »

Newton enfila ses bottes et admira ses pieds rouges et brillants.

Puis il regarda autour de lui. « Quel désordre nous avons mis, Crocou ! » dit-il.

« Mais nous n'avons pas le temps de ranger maintenant. Nous le ferons après. »

Newton remit tout n'importe comment dans le placard. Il appuya de toutes ses forces sur la porte et, au prix d'un grand effort, il la referma.

« Voilà, Crocou, allons patauger ! » lança Newton.

« Crocou ?…

… Crocou ? »

Newton regarda autour de lui, mais il
devina bien vite où devait se trouver
Crocou. Il avait dû le ranger par
erreur dans le placard !

Il regarda la porte avec une certaine anxiété. Il n'avait qu'une chose à faire.

« N'aie pas peur, Crocou, je vais te sauver. »

Il prit tout son courage et tourna la poignée de la porte le plus doucement possible…

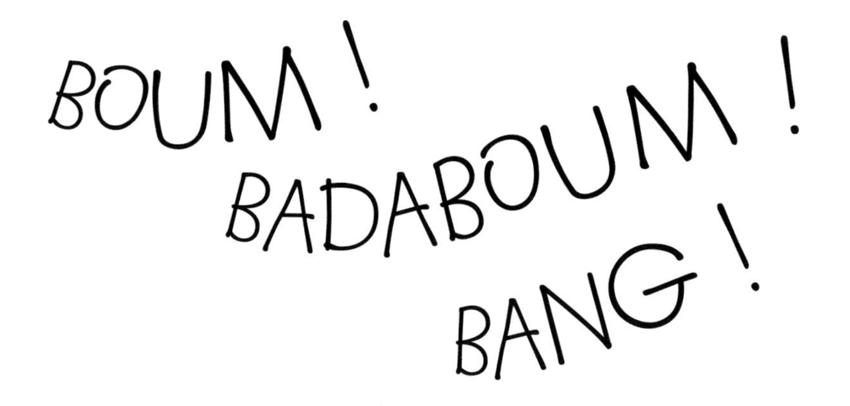

Tout s'écroula et Newton se retrouva sous un tas d'objets.

« Mince ! » s'écria-t-il. « Je savais que cela allait arriver ! »

Une fois debout, Newton trouva à ses pieds ce qu'il lui fallait : un magnifique casque de pompier rutilant.

« Pin-pon ! Newton arrive ! » cria-t-il. Il se mit au travail, dégageant le placard.

BING ! BANG ! CLIC ! CLAC !

Il ne restait que quelques objets dans le placard et Newton prit peur. Il était certain que Crocou était perdu pour toujours.

Newton s'empara d'un vieux manteau et s'apprêtait à le jeter quand il vit quelque chose…

« Crocou ? C'est toi ? » demanda Newton. Il regarda de plus près. C'était bien Crocou !

« Hourra! »

Newton fit un très gros câlin à Crocou. « Pauvre Crocou. Tout ça à cause de ce vilain, vilain désordre », dit Newton. « Je ne veux plus JAMAIS te perdre. »

Une chose incroyable se produisit alors.
Newton se mit à tout ranger jusqu'à ce que
tout soit parfaitement en ordre et à sa place.
« Maintenant, Crocou », dit-il,

« on va sauter dans les flaques ! »

Et c'est ce qu'ils firent !

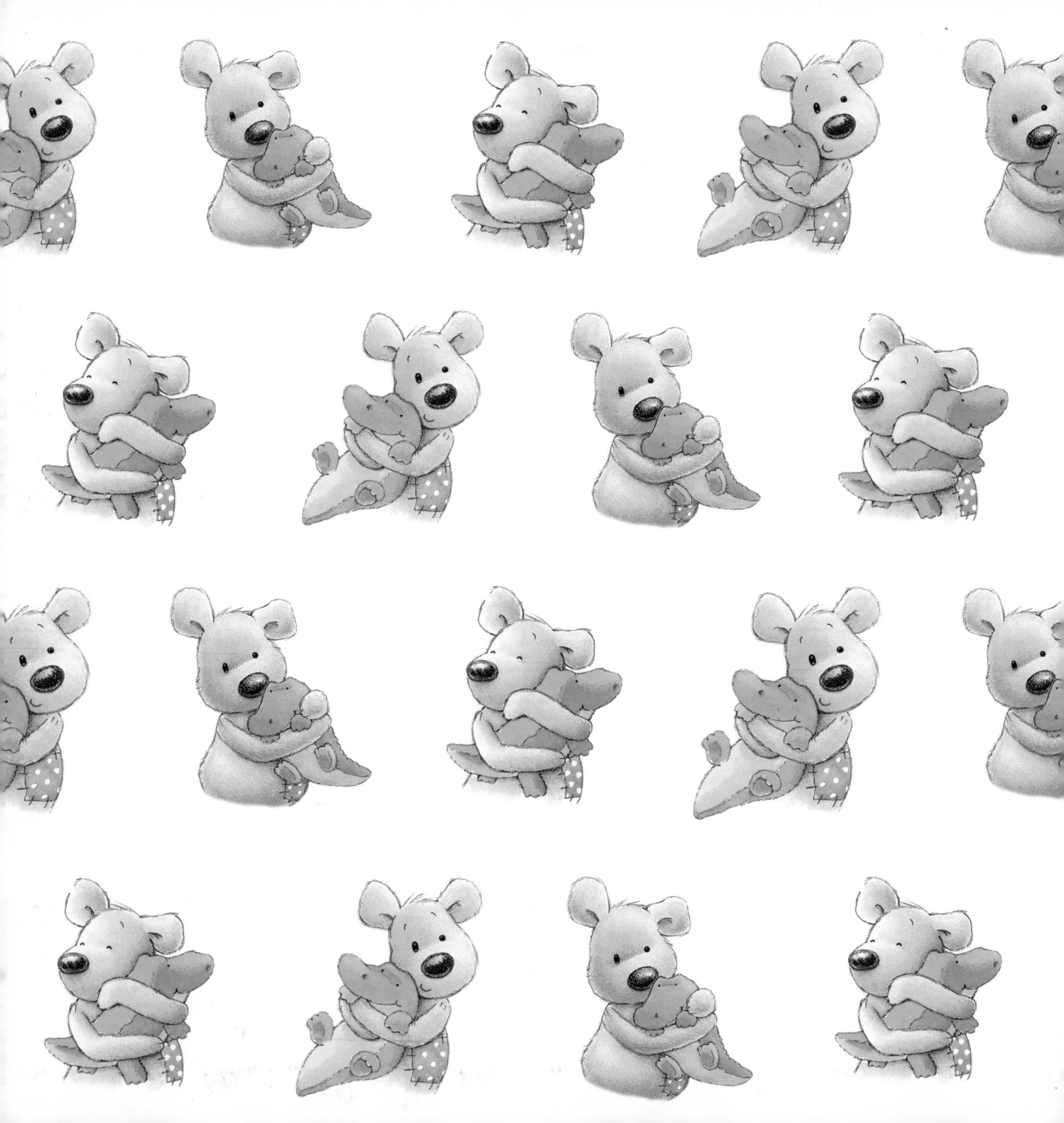